BIG BEN, EL COBAYO MALVADO

MONSTER FILES. LIBRO 4

A.E. STANFILL

Traducido por

ELIZABETH GARAY

Publicado en 2021 por Next Chapter

Arte de la portada por CoverMint

Textura de la contratapa por David M. Schrader, utilizada bajo licencia de Shutterstock.com

1

UNA NUEVA MASCOTA

Lo único que quería era una mascota. Un perro o un conejo, quizás una tortuga, tal vez un lagarto. Cualquier tipo de mascota sería genial. Pero, por mucho que rogara y suplicara a mis padres, siempre me decían que no. Recibía el mismo discurso de siempre. "No eres lo suficientemente maduro" y "la responsabilidad no es lo tuyo".

Cada vez, me enfadaba mucho. Por amor de Dios, ¡tengo trece años! Y soy hijo único, con padres que trabajan todo el tiempo. La vida puede ser aburrida. También un poco solitaria. Pero una y otra vez, me lo negaban.

Como si el hecho de que me dijeran que no, me fuera a detener. Mi plan a partir de ese momento fue molestar a mis padres todos los días hasta que cedieran.

Con mucho trabajo y un poco de persistencia, finalmente, cedieron. No sin discutir entre ellos al principio.

Mi padre se mantenía firme, mientras que mamá estaba cansada de oír cómo me quejaba. No era que quisiera que discutieran. Sin embargo, eso me favoreció.

Me dijeron el tipo de mascota podía tener. Tenía tres opciones: una rata blanca, un hámster o un cobayo. Después de elegir una, habría reglas. Si no cuidaba de la mascota, o si holgazaneaba una sola vez, mis padres me la quitarían.

"Vamos a la tienda de mascotas", suspiró mi padre. "Vamos, Justin. No tenemos todo el día".

"Diviértete", dijo mamá, y miró a mi padre. Sonrió.

Mi padre negó con la cabeza. "Oh, no te vas a librar tan fácilmente", dijo.

"Eso no va a pasar", respondió ella. Mi padre la agarró del brazo y la sacó lentamente por la puerta principal. "Tengo que quedarme. Hay cosas que tengo que hacer", protestaba ella.

En la tienda de mascotas, paseamos mirando todos los diferentes animales y reptiles. Los pájaros eran geniales, y los cachorros eran muy lindos y peludos. Mi madre y mi padre me apresuraron para que evitara a cualquiera de esos. Cuando me paré a mirar las serpientes, me empujaron para que avanzara.

Ambos me recordaron las tres mascotas que podría elegir. Recordé lo que me dijeron. Era divertido perturbarlos.

Busqué entre los ratones y ninguno era lo que quería. Los hámsteres parecían sin vida y sin mucha energía.

Fue entonces cuando lo vi, lo que yo consideraba la mascota perfecta.

Un cobayo negro puro... excepto por el pelaje en punta de la parte superior de la cabeza, que era blanco. El animal parecía emocionado de verme cuando me acerqué a su jaula. Había otros, pero a esos cobayos no parecía importarles que yo estuviera allí.

"¿Qué te parece?" preguntó papá cuando se acercó a mi lado.

"Se ve bien", respondí.

"Es bonito", dijo mi madre con una sonrisa muy falsa. "¿Quieres ese?"

"¡Sí! Es perfecto", les dije.

Mi padre se acercó al mostrador para pedir ayuda. Pude ver cómo nos señalaba y le decía algo a una mujer. Ella miró hacia nosotros con una expresión extraña en su rostro. Al principio parecía asustada, pero después de que mi padre dijera lo que fuera, pareció emocionada.

Cogió una jaula pequeña y se apresuró a acercarse a nosotros. Entonces, la mujer tanteó las llaves de la jaula más grande hasta que encontró la correcta y abrió su puerta. Metió la mano, pero el animalito saltó y se metió en la jaula pequeña que llevaba.

Me pareció extraño, pero no le di importancia. Estaba emocionado por tener una mascota. Antes de salir de la tienda, mis padres compraron una bolsa de alimento, otra jaula más grande y virutas para el suelo.

Estaba tan contento que aquel día di las gracias a mis padres unas cien veces, aunque me di cuenta de que ninguno de los dos estaba feliz conmigo. Mientras estaba sentada con el cobayo en las manos, me vino a la cabeza un nombre.

Ben. *Big* Ben, para mí, sonaba como el nombre perfecto.

"Big Ben", dije mientras miraba a mi mascota, "¿te gusta ese nombre?" Sus ojos parecieron iluminarse mientras me miraba fijamente. Así que lo tomé como un sí. "Big Ben será", dije.

Esa noche, pasé todo mi tiempo con Ben. ¿Por qué no iba a hacerlo? Ben era mi nuevo mejor amigo y no quería que se sintiera solo. Cuando mi madre me llamó para cenar, llevé a Ben conmigo.

"Esa cosa no se queda aquí abajo mientras comemos", dijo mi madre.

"Pero no quiero dejarlo solo", argumenté. "Es su primera noche aquí".

"He dicho que no", dijo ella. "¡Llévalo a tu habitación!"

"No puedo... se sentirá solo", insistí.

"¡No!" gritó. "¡Hazlo ahora!"

Papá se puso rápidamente del lado de mamá. Me exigió que hiciera lo que me decían. Parecía irritado conmigo, probablemente porque les estaba impidiendo comer. Mi padre se pone de mal humor cuando no puede comer sus alimentos calientes.

Finalmente, cedí a las exigencias de mis padres. Incluso intenté negarme a comer, pero tampoco funcionó. Cogí la jaula y la llevé de mala gana a mi habitación. Al mirarlo, pensé que se pondría triste. No es que supiera qué aspecto tendría un cobayo triste.

Sus ojos parecían brillar rojos en la oscuridad. Juraría que parecía enfadado conmigo, pero probablemente era sólo mi imaginación. Ben se volvió de espaldas a mí, haciendo ruidos extraños. Siempre pensé que los cobayos hacían ruido cuando se enfadaban, pero Ben hacía ruidos silenciosos que parecían susurros. Era extraño. Incluso daba un poco de miedo.

2

EXTRAÑOS SUCESOS

Pasé el resto del verano jugando con Ben. Hacíamos todo juntos y conoció a mis amigos. Iba al cine con nosotros; nos pareció extraño que le gustaran las palomitas. No sólo eso, sino que parecía que le gustaban mucho las películas que veíamos.

Ben era feliz y yo era feliz. Además, lo cuidaba exactamente como mamá y papá querían. Limpiaba su jaula y lo alimentaba, pero no con la comida que se podría pensar. A Ben parecía gustarle la comida chatarra que yo comía. Se comía mis papas fritas, mis caramelos y se bebía mi Coca-Cola.

Pensé que esas cosas matarían a un cobayo, pero no a Ben. Actuaba como si fuera normal para él. No parecía molestarle, así que ¿por qué iba a dejar de hacerlo? El verano se acercaba a su fin y las cosas empezaban a cambiar lentamente. Había días en los que tenía que dejar a Ben solo en casa, como cuando mis padres me llevaron a comprar ropa para el colegio.

Cuando volvimos, las cosas de mi habitación estaban fuera de lugar o desaparecidas. Después las encontraba en el armario o debajo de la cama con excrementos de cobayo. Siempre intentaba averiguar qué pasaba, pero no se me ocurría nada. No es que Ben pudiera hacer esas cosas, era un misterio, definitivamente.

Para intentar compensar a Ben por dejarlo solo la mayor parte del día, siempre doblaba la cantidad de Coca-Cola y caramelos. Esto ponía a Ben de mejor humor.

Una de esas noches, tuve un mal sueño. Algo me perseguía en la oscuridad, y apenas podía ver lo que era. Lo que recuerdo son los ojos rojos brillantes. Cuando me desperté, juro que vi a Ben flotando sobre mi cara. Parecía que el cobayo me observaba.

Me froté rápidamente los ojos. Debía ser mi imaginación, porque Ben seguía en su jaula. Supongo que los malos sueños pueden hacerte ver cosas que no existen. No pasó mucho tiempo antes de que mi madre estuviera en mi habitación diciéndome que saliera de la cama.

Me exigió que pusiera mi trasero en movimiento, porque no iba a permitir que llegara tarde a la escuela. Desafortunadamente, me volví a quedar dormido. Caray, eso realmente la enojó. Tuvo que arrastrarme fuera de la cama.

Después de eso, estaba completamente despierto y me vestí rápidamente. El primer día de clase no fue tan malo. En realidad, nunca lo es; es a medida que avanza el año cuando empiezo a perder el interés. Cuando terminó el día y llegué a casa, fui a mi habitación para ver cómo estaba Ben y limpiar su jaula.

De nuevo, mis cosas habían sido movidas. Mientras buscaba mis cosas en mi habitación, miré a Ben y juraría que estaba sonriendo. Ojalá me hubiera dado cuenta antes de lo que estaba pasando.

Nunca se había movido nada en mi habitación hasta que tuve a Ben. Siempre fui uno de esos niños organizados a los que les gusta todo de una manera determinada. Esta vez, encontré mis cosas en el armario. Tenían excremento. Mi dibujo de Ben estaba en el fondo. Cuando limpié todo, encontré el dibujo. Alguien había escrito: "No me dejes solo otra vez".

No pasó mucho tiempo antes de que mamá me llamara para cenar. Cuando salí de la habitación, pude oír a Ben reír... o chillar. Sinceramente, no estaba seguro de qué era y una parte de mí no quería saberlo.

Mientras comíamos, mi madre me preguntó: "¿Te ha gustado tu mascota?"

"Su nombre es Ben", repliqué.

"De acuerdo". Se aclaró la garganta. "¿Qué te ha parecido Ben?"

"Me gusta, mamá", respondí. "Es la mascota perfecta".

"¿Lo has estado atendiendo?" preguntó papá.

"Sí, tal como me dijeron".

"¿Has mantenido la puerta de la jaula cerrada?" preguntó mamá.

"Así es. ¿Por qué?"

"Hemos oído ruidos que vienen de tu habitación", respondió papá.

Cuando mi padre dijo esto, me quedé confundido. "¿Qué tipo de ruidos?"

"Ruidos de arañazos, cosas que se mueven. Empieza a ser fastidioso", respondió papá.

"Me aseguraré de revisar su jaula esta noche", dije. El miedo empezó a crecer dentro de mí, pero conseguí ignorarlo. Era imposible que Ben hiciera esas cosas. O mis padres estaban intentando que me deshiciera de él, o de repente esta casa estaba embrujada.

"Gracias". Mi padre esbozó una leve sonrisa.

Esa noche, tuve otra pesadilla. De nuevo me perseguía algo que tenía ojos rojos y brillantes. Esta vez me atrapaba, y acercándose a mí, susurraba algo que no podía entender.

Me levanté de un salto de la cama, respirando con dificultad. Me limpié el sudor de la frente, salí de la cama y me acerqué a la jaula. Ben me observaba. Su mirada era fría y casi malvada. Sus ojos brillaron rojos durante un breve momento.

La escuela fue un día más de trabajo y de lidiar con los bravucones, aunque pasar el rato con mis amigos siempre era divertido. Nos cubríamos las espaldas unos a otros, lo que facilitaba las cosas. En el almuerzo, les conté a mis amigos todo lo que había pasado.

Necesitaba hablar con alguien y dudaba que mis padres me creyeran. Al principio pensaron que era una broma y se rieron de mí hasta que se dieron cuenta de lo serio que estaba. Intentaron aconsejarme. No fue de mucha ayuda, porque no entendían la situación.

Acabé quedándome más tiempo después del colegio para pasar un rato con ellos. Cuando llegué a casa esa noche, los sucesos extraños pasaron de ser extraños a violentos. Mis padres no parecían estar de buen humor. Probablemente porque tenían que volver al trabajo por la mañana, supuse. Siempre parecían estar así cuando se acababan las vacaciones.

Cuando terminamos de cenar, me excusé para dejar a mis padres un tiempo a solas. Era mi forma de agradecerles que me permitieran tener a Ben. Me aseé y me puse el pijama. Luego, me apresuré a mi habitación para pasar tiempo con mi mascota y leer un libro.

Me acerqué a la jaula y abrí la puerta. "Vamos, Ben", le dije. Me ignoró y enterró la cara en las virutas. "Siento haber estado fuera todo el día. No te enfades conmigo, Ben. Por favor", le rogué.

Espera, ¿qué estaba haciendo?

"No me entiendes", dije, y luego gruñí al cobayo. "En primer lugar, ¿por qué estoy hablando contigo? Si no quieres salir, quédate ahí". Cerré la puerta de la jaula de un golpe y fui a acostarme en mi cama.

Cogí mi libro y empecé a leer. Ya iba por la mitad y estaba disfrutando la lectura. De vez en cuando, miraba a Ben. Me observaba o, al menos, me parecía que lo hacía. Esta vez lo ignoré y seguí leyendo.

Ben empezó a hacer un ruido de chirrido. No le hice caso y continué con la lectura. Luego, siguió haciendo más y más ruido. Esto enfureció a mi madre.

"Haz que esa cosa se calle", gritó desde su habitación, "¡y duérmete ya!"

"Muchas gracias, Ben", lo regañé. "Ni siquiera sabían que seguía despierto". Me acerqué a su jaula y vi que Ben no tenía caramelos, ni Coca-Cola. Seguramente era lo que quería, pero estaba tan enfadado con él que le di a Ben comida y agua para cobayos, algo que no hacía desde el primer día que lo tuve.

Me alejé, apagué la luz de mi habitación y me metí en la cama. Me tapé hasta la barbilla, me puse cómodo y cerré los ojos. Más tarde, esa misma noche, me desperté con un fuerte golpe.

Necesité todo el valor que tenía dentro de mí para mirar el despertador. No podía creerlo, eran las dos y media de la mañana y pronto tenía que ir a la escuela. Sin embargo, tenía que salir de la cama y ver de dónde venía ese ruido. Saqué los pies de la cama y toqué el suelo. La alfombra estaba caliente y suave entre mis dedos.

Cogí mi linterna, porque no quería que mis padres vieran la luz de mi habitación. Caminé hasta que me golpeé un dedo del pie. Grité, girando la linterna hacia el suelo. Fue entonces cuando vi la jaula de Ben volteada.

"¡Ben!" jadeé y me agaché para recoger la jaula y colocarla de nuevo en la mesita. Iluminé el interior de la jaula para ver cómo estaba. Para mi sorpresa, no estaba dentro. "Ben", susurré. "Ben, ¿dónde estás?"

Busqué por todas partes en mi habitación, como debajo de

la cama, pero no lo encontré por ninguna parte. Fue entonces cuando oí arañazos y chillidos procedentes del pasillo. ¿Cómo es posible que esté ahí fuera? Todas las noches mantenía la puerta de mi habitación bien cerrada.

Cuando miré, estaba arañando la pared y lanzando un chillido, que de nuevo sonó como una risa aguda. "¡Ben!" le grité. "¿Qué estás haciendo aquí?" El cobayo se detuvo y se giró lentamente para mirarme. Esta vez, era seguro que sus ojos brillaban rojos. No era mi imaginación. No había ninguna duda.

Di un paso hacia él y salió corriendo. Lo perseguí. Corrió por toda la casa y yo le pisaba los talones. Era rápido, pero pensé que estaba empezando a agotarse. Por fin lo alcancé cuando de repente... se desvaneció.

Suspiré, me froté los ojos, sintiéndome cansado. Al instante, me encontré tumbado boca abajo en el suelo. Sentí como si algo me hubiera golpeado en la espalda. Me giré para mirar. Y no había nadie.

Me puse lentamente de pie y comencé a buscar de nuevo a Ben. Por mucho que quisiera volver a la cama, no podía; mis padres me matarían. Cuando volví a encontrar a Ben, estaba flotando justo en mi cara. Me eché hacia atrás y derribé una mesa, rompiendo una de las lámparas.

"Te dije que no volvieras a dejarme solo", dijo Ben en voz baja y aterradora. "Esto es lo que pasa cuando no me escuchas".

"Esto no puede ser real", murmuré con incredulidad.

"Haz lo que te digo la próxima vez, o te arrepentirás", chilló Ben.

"No puede ser real", dije de nuevo, ignorando la advertencia de Ben.

Mamá salió corriendo del dormitorio con papá justo detrás de ella. "¿Qué está sucediendo aquí?" gritó.

Papá encendió la luz del salón y vio la lámpara rota en el suelo. "¿Qué has hecho?"

"Fue Ben", dije.

"¿Le echas la culpa de esto a tu mascota?" mi madre siseó con desagrado.

"Puede flotar y hablar", insistí.

"¡Ya basta!" mi padre no estaba aceptando nada de esto.

Tampoco mi madre, que dijo, "Recoge tu mascota y vete a tu habitación, jovencito. Más tarde hablaremos de tu castigo".

Levanté a Ben del suelo. Se comportaba como un animalito normal. Bajé la cabeza y caminé de vuelta a mi habitación, derrotado. Ben se rió de mí durante todo el camino de regreso.

3

NECESIDAD DE AYUDA

Los días pasaban y las cosas sólo parecían empeorar con Ben. No quería estar solo en absoluto, pero yo no tenía opción, había escuela y tareas que debían hacerse. Me disculpé y empecé a darle caramelos y Coca-Cola de nuevo.

Eso compensaba algunas cosas. Pero no era suficiente. Ben no era un cobayo normal, podía hacer cosas. Cosas que no se podían explicar. Hubo una noche en que salió de su jaula de nuevo, y de alguna manera se las arregló para destruir la sala de estar.

Pude atraparlo antes de que pudiera hacer más daño. Mis padres salieron de su habitación. Cuando vieron el desorden, se volvieron locos y armaron un revuelo.

"¿La lámpara no fue suficiente la semana pasada?" mamá gritó. "¡Ahora, haces esto!"

"¿Qué te ocurre?" me preguntó mi padre, con decepción en sus ojos cansados.

"¡Yo no lo hice! Lo juro".

"¡Enciérralo!" mamá gritó.

"Escúchame, por favor", le supliqué, pero me ignoró.

"Si vuelves a intentar echarle la culpa a tu mascota, lo llevaremos de vuelta a la tienda de animales", siseó papá.

Escuchar esas palabras me emocionó. Esta era mi manera de salir de este lío. Estaba a punto de decir que sí, que por favor se lo llevaran de vuelta, cuando mi madre me dijo que no podía tomar el camino fácil.

Sentí un miedo en la boca del estómago. ¿Qué iba a hacer?

Mis padres me hicieron limpiar la sala y me castigaron durante una semana. Apestó. Me metí en problemas por algo que no había hecho yo, y mamá y papá se negaron a escuchar nada de lo que tenía que decir.

La semana siguiente fue muy dura. Tenía colegio y llegaba a casa a hacer los deberes. No podía ver la televisión, ni jugar. Mamá también decidió quitarme los libros. Me alegré cuando todo terminó con mis padres, pero no tanto con Ben.

Después de una semana de estar castigado con sólo Ben para jugar, parecía más feliz. Ese fin de semana me llevé a Ben fuera de casa. Mis amigos querían volver a ir al cine y yo acepté.

Ben lo arruinó todo. No esperaba lo que sucedería después. Chilló con desaprobación sobre la película. Ben no hablaba como yo sabía que podía hacerlo. Y cuando intenté provocarlo, mis amigos me miraron como si estuviera loco.

No me di cuenta de que Ben había salido de su jaula y estaba en mi regazo. Cuando lo vi, era demasiado tarde. Me miró y sonrió. Ben abrió la boca de forma anormal. Una baba roja, maloliente y asquerosa salió de su boca.

Se extendió por todas partes, por encima de la gente que estaba delante y detrás de nosotros. Observé con horror cómo los padres y los niños estaban cubiertos de baba maloliente. Gritaban y chillaban. Algunos incluso vomitaban. Era lo peor que había presenciado.

Mis amigos se levantaron, también cubiertos de baba. Se enfadaron conmigo y salieron furiosos del cine. Yo estaba sorprendido y aturdido y no podía moverme ni hablar. Alguien me agarró del hombro. Levanté la vista y allí estaba el personal de seguridad mirándome.

Cuando todo estaba dicho y hecho, me prohibieron ir al cine por el resto del año. No sólo eso, sino que mis padres estaban más enfadados que nunca conmigo. Volví a estar castigado y mis amigos se negaron a hablar conmigo en la escuela.

Fue entonces cuando decidí que necesitaba ayuda. No había forma de seguir manejando a Ben yo solo. El problema era que no podía contar con la ayuda de mis padres. Estaban enfadados conmigo y se negaban a escuchar mis problemas. No, lo que tenía que hacer era encontrar chicos de mi edad que me ayudaran.

Mientras daba un paseo un día para despejarme, visité la heladería para tomar algo. Cuando hace casi cuarenta grados en el exterior y está muy seco, uno tiene sed. Parecía que estaba destinado a entrar allí.

¿Por qué lo digo? Porque fue entonces cuando encontré la tarjeta de presentación que lo cambió todo. Decía: «*Monster Files*, aquí para ayudar con los problemas que los padres nunca podrían entender. ¿Tienes un problema de monstruos? Estamos aquí para ti». Ese día guardé la tarjeta y decidí que les haría una visita.

Una vez que cumplí mi último día de lo que parecía una sentencia de prisión, hice una visita a *Monster Files*, asegurándome de llevar a Ben conmigo. Aquel día, creo que les pillé desprevenidos al irrumpir en su casa del árbol. Ambos saltaron y se volvieron para mirarme. Esperaba que no hubiera sido un error por mi parte.

La chica tomó asiento en su escritorio y se dedicó a sus asuntos. El chico de las gafas grandes se acercó a mí. "¿Qué tal te va?" preguntó él.

"Eh... tengo esta mascota", empecé.

"No somos cuidadores de mascotas", interrumpió la chica.

"Vamos, Smith. Al menos escúchalo", respondió el chico.

"Bueno, no lo somos", dijo Smith, y luego volvió a lo que estaba haciendo.

"Por cierto, me llamo Miller y ella es Smith", dijo el joven. "¿Qué hay en la jaula?"

"Tengo una mascota", empecé de nuevo, y luego le conté a Miller mi larga y complicada historia sobre Ben, el cobayo. Miller parecía sorprendido, y un poco temeroso. ¿Qué era Ben? ¿Un monstruo? ¿Un cobayo con poderes? Miller tenía que saber la respuesta.

"¿Dices que el cobayo puede hablar?" Smith se rió.

"Parece que puede hacer algo más que hablar", añadió Miller.

"No te estás creyendo esta tontería, ¿verdad?" preguntó Smith.

"He oído hablar de cosas más extrañas", respondió Miller.

"Si le crees, entonces esta va por tu cuenta", dijo Smith. "Además, sabes que odio a los roedores".

"Es un cobayo, no un roedor", dije, lo que provocó una mirada extraña de los otros dos. "Vas a hacer enfadar a Ben y seré yo quien tenga que lidiar con él".

"¿Y si me lo llevo a casa un par de noches?" sugirió Miller.

"No estoy seguro de que a mis padres les guste", respondí.

"Créeme, no les va a importar", dijo Miller.

"¿Cómo lo sabes?"

"Sólo lo sé", Miller sonrió. "Trae a Ben a mi escritorio. Quiero echarle un buen vistazo".

"¿Qué?" exclamó Smith. "¡No lo saques de su jaula!"

"Tenemos que hacerlo", insistió Miller. "Tengo que verlo bien". Abrió la jaula y metió la mano en el interior para coger el cobayo.

"Me voy", Smith se levantó de su escritorio y salió de la casa del árbol.

"¿Ella va a estar bien?" pregunté.

"Estará bien", respondió Miller. "Smith odia a ciertos animales". Intentó agarrar el cobayo más de una vez y fue mordido las dos veces. Quería detenerlo, pero insistía en que estaba bien. A la tercera vez, Ben debió rendirse, porque Miller lo sacó de la jaula.

"Por favor, devuélvelo", le rogué.

"No te preocupes, lo tengo todo bajo control", respondió Miller. El joven adolescente estudió detenidamente al animal. A primera vista, la mascota parecía normal. No tenía marcas extrañas, ni signos de haber sido objeto de experimentos. En general, Ben era una mascota sana y bien cuidada. "No veo nada raro en él".

"Por supuesto que no", suspiré. "Pero, te digo, no es normal".

"Supongo que lo averiguaré en los próximos días", dijo Miller.

"Ten cuidado con él", advertí. "No lo hagas enojar". Antes de irme, informé a Miller de todo lo que le gustaba y odiaba Ben. Le advertí una vez más que no hiciera enfadar a Ben, o las cosas empeorarían.

Miller insistió una vez más en que tenía todo bajo control. Me aseguró que conseguiría que Ben mostrara sus verdaderos colores.

* * *

Miller se aferró a Ben mientras hablaba con Justin y después de que éste se dirigiera a su casa. Miller podría haber jurado que oyó una risa chillona procedente del animal.

Miller se llevó a Ben a la cara, diciendo: "Debería haber

pensado bien esto. ¿Cómo voy a explicar esto a mi madre y a mi padre?"

Nada más cruzar la puerta principal, su madre le detuvo en seco. "¿Qué hay en la jaula?" le preguntó.

"Nada", dijo Miller.

"Frank, ¿qué hay en la jaula?" le preguntó de nuevo.

Miller tuvo que pensar en algo rápido. "Un proyecto escolar".

"¿Cómo?"

"Es un cobayo".

"¿Qué?" se quedó con los ojos muy abiertos.

"Tengo que cuidar de él durante dos días. Es para una calificación, así que no podía decir que no", explicó Miller.

Sacudió la cabeza con desaprobación. "Bien, pero no dejes que ese roedor vaya a ninguna otra parte de esta casa fuera de tu habitación".

"No lo haré", prometió Miller. Su madre regresó a limpiar la casa y Miller llevó a Ben a su habitación. Tenía una bolsa de alimento y virutas que subió después. Miller quería asegurarse de hacer que Ben se sintiera como en casa.

"De acuerdo, Ben", Miller le miró y le dijo, "Voy a bajar a comer. Compórtate". Miller estaba saliendo de la habitación cuando algo golpeó su espalda. Se giró y miró hacia abajo. Era un viejo guante de béisbol que normalmente guardaba en su armario. ¿Cómo pudo salir de su armario?

"¿Lo has hecho tú?" preguntó Miller. Tal vez la mascota era más de lo que parecía.

Después de la cena, Miller se dirigió a su habitación. Abrió la puerta y, para su sorpresa, su mochila había sido abierta. Todo el contenido estaba esparcido por el suelo. Sacudió la cabeza y se puso a limpiar su habitación. Más tarde, Miller encontró sus deberes hechos trizas.

No podía creerlo. Había tardado tres días en terminar el

informe del libro. Ahora, iba a tener que quedarse despierto toda la noche y hacerlo todo de nuevo. Miller no estaba dispuesto a recibir una 'F' como calificación.

Mientras permanecía despierto durante casi toda la noche, trabajando intensamente en el informe, echaba un vistazo a Ben y observaba la sonrisa de la mascota. O, al menos, creía que el cobayo sonreía.

Por suerte para Miller, sus padres nunca lo revisaron después de su hora de acostarse, o nunca habría terminado su trabajo. Al día siguiente, en el colegio, sacó una calificación de «B». Su *primer* trabajo le habría valido fácilmente una «A». Cuando terminó las clases, se dirigió a casa para ver cómo estaba Ben.

La habitación de Miller era un desastre. Parecía que había pasado un tornado y la había destrozado. Lo que más le molestaba era el montón de excremento de cobayo que había en su cama. Sin embargo, Ben seguía en su jaula, vigilando todos sus movimientos. No había ninguna señal de que hubiera salido.

Parecía que todo lo que Justin había explicado era la verdad. Excepto lo del cobayo flotando, o riendo, o hablando, para el caso. Miller estaba seguro de que sólo era cuestión de tiempo que Ben llevara las cosas al siguiente nivel.

Esa noche, Miller tuvo un mal sueño. Le perseguía algo con ojos rojos y brillantes. Fue el mismo sueño que Justin describió ese día. Cuando se despertó, Ben volaba sobre su cara.

"Llévame a casa", chilló como advertencia. "Llévame a casa o lo pagarás". Miller se levantó de la cama, frotándose los ojos y tratando de concentrarse.

Ben seguía en su jaula, simplemente observando... o esperando, Miller no estaba seguro de qué. Antes de volver a acostarse, estaba casi seguro de que los ojos de Ben brillaban con un rojo intenso.

4

BEN EMPRENDE UNA GUERRA

A Miller le quedaban un par de días para vigilar a Ben, pero no fue así. El conejillo de indias cumplió su promesa cuando Miller se negó a llevarlo a casa. Esa noche, cuando todos dormían, Ben le hizo a Miller lo que le había hecho a Justin.

Un fuerte ruido despertó a Miller y salió disparado de la cama. Primero comprobó la jaula: Ben no estaba allí. Miller tenía miedo de lo que pudiera ocurrir a continuación. Se resistía a bajar las escaleras. Con paso ansioso, bajó lentamente. La sala de estar estaba todavía en una pieza. Eso le hizo sentirse mejor.

Sin embargo, cuando oyó ruidos procedentes de la cocina, se le revolvió el estómago. Lo que fuera a ver, no podía ser bueno. Miller asomó la cabeza al doblar la esquina y se quedó boquiabierto ante lo que vio.

La puerta del frigorífico estaba abierta de par en par. Todo el contenido del interior estaba esparcido de un extremo a otro de la cocina. Los armarios estaban abiertos y vaciados en el suelo. Miller no sabía qué pensar, nunca había visto un desorden como ese. No tardó en averiguar quién o qué había hecho lo que veía, porque Ben estaba flotando por encima del desastre con una mirada de regocijo. Le advirtió a Miller que lo llevara de vuelta a casa, y que ahora se daba cuenta de que cuando no se escucha a Ben, pasan cosas malas. "Ahora comienza la diversión", dijo Ben, y luego dejó escapar un fuerte chillido.

Eso hizo que los padres de Miller bajaran a la cocina. No les gustó lo que vieron. Todo el dinero que habían gastado en comida y otras cosas, se iba por el desagüe.

"¿Qué has hecho?" gritó su madre.

"No fui yo, fue...", Miller se volvió para señalar al cobayo flotante, pero ya había desaparecido. Lo más probable es que Ben estuviera de vuelta en su jaula actuando como una mascota normal.

"¿Quién fue?" le preguntó su padre, que se quedó con una mirada de enfado mientras esperaba la respuesta de Miller. "¿Y bien?"

Miller intentaba pensar qué decir a continuación. No podía decir que el animal lo había hecho. Sus padres nunca se creerían esa historia. Podía confesar y ofrecerse a limpiar la cocina, pero acabaría castigado durante una o dos semanas.

"¿Vas a responder a tu padre?"

"Fui yo", respondió.

"¿Por qué has hecho esto?" su madre parecía dolida.

"El cobayo se escapó de su jaula. Lo estaba persiguiendo por la cocina". Miller miró alrededor de la cocina y luego dijo: "Supongo que no me di cuenta del desastre que había hecho. Me aseguraré de limpiarlo".

"Claro que sí", respondió su padre antes de marcharse.

Su madre hizo eco, diciendo: "Después de limpiar esto, vuelve a la cama. Estás castigado y mañana llevarás ese roedor al colegio. No me importa si es parte de tu calificación".

"Pero, mamá..."

"¡No hay peros!" sacudió la cabeza y se alejó.

Miller nunca había visto a sus padres tan enfadados o decepcionados con él. Se sentía mal, muy mal. Iba a tener que esforzarse para compensarles. En cuanto a Justin, no tenía ni idea de cómo iba a explicarle las cosas. Esperaba que Smith le ayudara con esto, pero era muy dudoso.

Era más que probable que Justin tampoco tuviera ganas de llevar a Ben de vuelta. En este momento, nada de eso importaba. Lo primero era lo primero, Miller tenía que limpiar la cocina. Se quedó despierto hasta las tres de la mañana para hacerlo. Durante el tiempo que pasó limpiando, pensó en cómo podía vengarse de Ben.

Qué problema. ¿Cómo te desquitas con un cobayo que tiene algún tipo de poderes «abracadabra»? ¿Cómo se puede detener algo así? Miller tendría que resolverlo pronto, antes de que alguien saliera herido.

El chico durmió dos horas más. Apenas pudo levantarse de la cama cuando su madre lo despertó. También estuvo cansado en la escuela. Cuando terminaron las clases, se reunió con Justin para devolverle a Ben.

Justin se resistía a llevar a su mascota a casa, a pesar de que sus padres no dejaban de sermonearle para que no tomara el camino más fácil. Al menos eso les haría callar por el momento.

"Sé que te prometí otro día para revisar a Ben, pero...", Miller se detuvo a mitad de la frase.

"Pero... ¿qué?" preguntó Justin. "Dime qué pasó. ¿Fue Ben?"

"Sí", respondió Miller. Le contó a Justin toda la historia de lo que había pasado esos dos últimos días.

"¿Ahora me crees?"

"Después de todo lo que ha pasado, ¿cómo podría no hacerlo?"

Justin frunció el ceño. "¿Entonces qué hago?"

"Ben considera tu casa como su hogar. Por ahora, mantenlo tan feliz como puedas", respondió Miller.

"Eso me convertiría en su esclavo", escupió Justin.

"No realmente un esclavo", afirmó Miller. "Ben parece pensar que eres su mascota, no al revés".

"Eso no va a pasar", dijo Justin con un toque de enfado.

"Síguele la corriente por ahora. Eso es todo lo que harás. Al menos hasta que se me ocurra qué hacer con él", insistió Miller.

Los dos chicos debían conspirar lejos de la jaula de Ben. Él podía escuchar cada palabra que decían. Y no iba a permitir que «sus mascotas» rieran al último. Era hora de darles una lección a esos humanos.

El increíblemente inteligente Ben, dejó que las cosas volvieran a la normalidad durante unos días. Permitió que Justin pensara que las cosas se hacían a su manera. Además, Ben escuchaba cada conversación que Justin tenía con Miller. Mientras conspiraban contra él, Ben se preparaba para su venganza.

La primera que aprendería una dura lección sería la niña de la casa del árbol que le llamó roedor. Ben se escapó de la jaula mientras Justin estaba en el colegio y sus padres en el trabajo. Tenía poderes mágicos, así que no tardó en llegar a la tienda de mascotas donde lo habían comprado.

Allí, utilizó sus poderes para hablar con todas los demás cobayos, ratones y ratas. Les pidió ayuda para vengarse de los humanos. Ben les prometió que, si le ayudaban, no volverían a pasar otra noche en una jaula sucia.

Una vez que accedieron a prestarle ayuda, Ben utilizó su magia para dejarlos salir de sus jaulas. Condujo a su ejército hacia la casa del árbol, donde esperaron a que apareciera la joven llamada Smith. Después de que Justin lo hubiera arrojado con el otro chico los últimos días, Ben sabía que la chica era siempre la primera en aparecer, seguida después por ese molesto chico.

Smith fue a la casa del árbol como de costumbre, sin saber quién estaba allí esperando para emboscarla. Entró, preparándose para su rutina normal, cuando las cosas se torcieron terriblemente. Ben apareció en su escritorio. Smith soltó un grito de miedo.

Cayó de espaldas en su silla, golpeándose con fuerza contra el suelo. Ben la miró con una pequeña sonrisa en la cara. El cobayo hizo lo mismo que en el cine. Vomitó la misma sustancia verde, viscosa y maloliente sobre la chica. Cubrió a Smith de pies a cabeza.

Ben gritó, "¡Ataquen!" Su ejército saltó sobre Smith, llevando una cuerda en la boca. Mientras intentaban atarla, Smith se defendía, pero la baba la frenaba. Sus vapores la hacían sentir mal.

Eran demasiados para luchar contra ellos. Se encontró atada y amordazada. Smith podía oírlos hablar entre ellos, pero no tenía ni idea de lo que decían. No tardó en darse cuenta.

Un par de ratas treparon por la ventana, llevando una cuerda. La arrastraron hasta sus pies y se la ataron a los tobillos. *Dios mío, van a arrastrarme por la ventana de la casa del árbol*, pensó para sí misma.

Smith podía sentir la cuerda tensa mientras los roedores tiraban de ella desde abajo. Esas cosas tenían malas intenciones, sin duda. Smith dejó escapar un suspiro de alivio, suponiendo que era demasiado pesada para que pudieran tirar de su peso corporal. Sin embargo, el ejército de roedores no se daba por vencido, y finalmente su cuerpo fue arrastrado por el suelo.

Miró alrededor de la habitación, tratando de encontrar una manera de salir de este lío. Las cosas parecían sombrías, ya que la tenían a centímetros de la ventana. En el último segundo, Miller entró en la casa del árbol. No tardó en acudir en ayuda de su compañera. Sacó su navaja y cortó la cuerda de sus tobillos. Se deslizó por la ventana de la casa del árbol. Luego cortó el resto de la cuerda, liberando sus brazos y piernas.

Cuando Ben y su ejército se dieron cuenta de lo sucedido, se retiraron. Smith le dio un abrazo a Miller por haberla rescatado, lo que hizo que el joven se sonrojara. Smith se dirigió a su casa con Miller a su lado. Más tarde, esa misma noche, le llamó y le explicó todo.

Miller se sintió sorprendido y asustado cuando se enteró de la noticia. La única razón que se le ocurrió para que Ben la eligiera como objetivo fue que ella le había llamado roedor asqueroso. Eso significaba que Ben quería vengarse de todos ellos. Eso también significaría que Justin o él mismo serían los siguientes en la lista.

5

LA JAULA MÁGICA

Al día siguiente, Miller se encontró con Justin en la escuela. Intentó contarle lo que Ben le había hecho a Smith.

Sin embargo, algo no parecía estar bien. Justin parecía un poco distante con Miller. Casi como si no le importara, o tal vez estuviera demasiado asustado.

"¿Estás escuchándome?" Miller siseó. "¡Ben intentó herir a Smith! ¡Y ahora tiene una especie de ejército de roedores con él!"

"Lo siento, no tengo tiempo para esto ahora". Justin se encogió de hombros nerviosamente. "Tengo que llegar a casa con Ben".

"Tenemos que hacer algo al respecto. Se está saliendo de control", insistió Miller.

"Lo siento", respondió Justin. "No podemos hacer enfadar más a Ben". Se dio la vuelta y caminó rápidamente por los pasillos de la escuela, como si tratara de huir de Miller antes de que pudiera resultar herido.

Justin estaba actuando de forma muy extraña. Para Miller, eso significaba que Ben ya había llegado a él, lo que le daba más miedo que nunca, ya que ahora haría cualquier cosa para mantener contento a Ben. Miller iba a tener que pedirle ayuda a Smith, que era la única persona a la que podía recurrir.

Sé lo que estás pensando, que Miller sólo intentaba ayudar. Pero temía por la seguridad de mi familia y mis amigos. Esas dos noches que Miller mantuvo a Ben en su casa no significaron que se mantuviera alejado.

Ben de alguna manera apareció en mi habitación en las noches que se suponía que se había ido. No estoy seguro de cómo sucedió, pero lo hizo. El cobayo me amenazó. Y cuando eso no funcionó, dijo que pasarían cosas malas a las personas más cercanas a mí, a mis seres queridos y amigos.

No podía permitir que eso sucediera. Así que le prometí que haría todo lo que dijera si los dejaba en paz. Desde entonces, todo ha ido bien. Es decir, hasta que Miller me contó lo que pasó con la chica que trabaja con él. Que Ben formara un ejército de roedores e intentara hacer daño a alguien era algo realmente aterrador de escuchar.

¿Significaba eso que ahora iba a intentar herir a uno de los miembros de mi familia? Corrí a casa tan rápido como pude. Allí encontré otros roedores por toda la casa. Subidos a los árboles, escondidos en los arbustos, y algunos estaban dentro. Mi mascota ni siquiera estaba allí, lo que me hizo preguntar por qué estaban todos los demás ahí.

Debían vigilarme. ¿Intentarían detenerme si salía de mi casa? ¿Significaba eso que iba tras uno de mis amigos? Tenía que averiguar qué estaba tramando Ben. No podía pedirle ayuda a Miller, porque eso pondría a Ben en evidencia. Por el momento, no quería atraer más atención hacia mí.

Tomé la decisión de ir a ver a mis amigos. Podía ser que no me hablaran, pero eso no significaría que cambiaran el lugar por el que pasaban. Caminé hacia la sala de juegos. Podía sentir sus ojos en mí. Cuando me detenía y echaba un vistazo a mi alrededor, podía ver a los roedores en los campos de algodón y en los árboles.

Entré en la sala de juegos y me di cuenta, por la mirada de mis amigos, de que no se alegraban de verme. Ben no estaba, lo que me hizo sentir un poco aliviado. Intenté arreglar las cosas con ellos. Me perdonaron, pero todavía no estaban dispuestos a andar conmigo.

Antes de irme, prometí que lo que había pasado no volvería a suceder. Entonces me preguntaron si todavía tenía a Ben. Les dije que sí y me dijeron que tendría que dejarlo si quería volver a ser su amigo. Tendría que cruzar ese puente más tarde.

Un pensamiento entró en mi mente: ¿dónde estaba Ben? No tenía que parecer tonto y advertir a mis amigos sobre un cobayo loco, porque no estaba en ninguna parte. Dudaba que fuera a buscar a mis padres al trabajo. Eso dejaría solo a otra persona: Miller.

¿Me estaba retando Ben a intentar salvar a la única persona que podría ayudarme? Sé que, aunque lo intentara, el ejército de Ben me atacaría. Supongo que era el momento de tomar una decisión: no ayudar a Miller y seguir poniéndome a mí y a otros que me importan en peligro, o ayudar a Miller y esperar lo mejor. Me decidí por lo segundo. Nunca podría perdonarme si no hacía algo.

Ben se dirigía a la casa del árbol. Tuve el presentimiento de que iba a intentar hacer lo mismo con Miller que con Smith. Casi parecía que los roedores podían leer mi mente. Se abalanzaron sobre mí en cuanto me acerqué a la casa del árbol.

Intenté luchar contra ellos, pero eran demasiados. Acabé tropezando y cayendo al suelo. Se me abalanzaron antes de que pudiera moverme. Pensé que me iban a hacer daño, ahora que Ben sabía que le había traicionado de nuevo.

Miller salió corriendo blandiendo un palo de golf, quitándomelos de encima. Me agarró de la mano y me puso en pie.

Nos dimos la vuelta y corrimos hacia la casa del árbol. Una vez dentro, bloqueó las ventanas y la puerta.

"¿Qué estás haciendo aquí?" preguntó Miller.

"Pensé que Ben podría estar tramando algo", respondí. "Por el aspecto de las cosas, no estaba equivocado".

"Creo que podrías hacerlo", dijo.

"¿Qué quieres decir?"

"Ben podría haberte puesto a prueba", dijo Miller, "queriendo saber si le serías leal".

No podía creer lo que estaba escuchando. ¿Era posible que Ben estuviera comprobando de qué lado estaba yo? Si ese era el caso, eso significaría que había fracasado. Estoy casi seguro de que ahora iría por los que me importaban. Había que detener a Ben, fuera como fuera. Realmente esperaba que Miller tuviera la respuesta para acabar con esta pesadilla.

"Eso significa que he fallado", respondí.

"No, eso significa que te negaste a ser el esclavo de Ben", respondió Miller.

"¿Cómo lo detenemos antes de que vaya por otra persona?" pregunté.

Miller me explicó que teníamos que esperar. Su compañera estaba investigando algo llamado la 'jaula mágica'. Dijo que normalmente se construía para monstruos más grandes o criaturas malignas, nunca para algo de tamaño tan pequeño.

Sé que tenía buenas intenciones y que intentaba mantenernos a salvo, pero se me estaba acabando la paciencia. Sólo podía pensar en mi familia y mis amigos. Después de unos treinta minutos, le hice saber a Miller que había terminado de esperar. Tenía que ir a verlos para asegurarme de que estaban a salvo.

Miller miró por una de las ventanas de la casa del árbol. "Todavía están ahí fuera", gruñó.

En voz baja dije, "Genial. ¿Qué hacemos ahora?"

"No te preocupes, tengo una idea". Miller sonrió. Sacó su teléfono móvil y llamó a su madre. "Hola, mamá. ¿Puedes dejar salir a los gatos? Tengo un amigo que quiere verlos". Miller me miró después de colgar. "Dale unos minutos".

No pasó mucho tiempo antes de que escuchara gruñidos y siseos, seguidos de los sonidos de algo siendo perseguido por la hierba. "¿Por qué no lo hiciste antes?" pregunté.

"Mi madre acaba de llegar a casa", dijo Miller. "Vayamos mientras no hay moros en la costa". Desbloqueó la puerta de la casa del árbol y salimos corriendo. No todos habían sido ahuyentados por los gatos; todavía había bastantes que intentaban detenernos. Así que no podíamos hacer otra cosa, más que correr.

6

UN NUEVO HOGAR PARA BEN

LLEGAMOS A MI CASA Y ENCONTRAMOS A BEN ESPERANDO con su pequeño ejército a que llegaran mis padres. Me apresuré a llevar a mis padres al interior tan rápido como pude, dejando a Miller fuera para que se ocupara de la situación de los roedores.

Mamá y papá tenían curiosidad por saber por qué me apresuraba a entrar. Hice lo que cualquier niño hace cuando está mintiendo: les dije a los dos que los quería y los echaba de menos. Y me alegré mucho de que estuvieran en casa. Estaba seguro de que sabían que pasaba algo; nunca los había recibido de esa manera.

Me preguntaron más de una vez si todo estaba bien. Actué con frialdad y me desentendí de sus preocupaciones. ¿Quizá pensaron que acabarían por enterarse? Mis padres me siguieron el juego y dejaron de hacerme preguntas. Los mantuve ocupados hasta que oí lo que parecía que Miller me decía que todo estaba despejado.

Pedí que me disculparan un rato y les dije que necesitaba dar un paseo tranquilo. Cuando salí por la puerta, ahí estaba

Miller. Tenía la camisa rasgada y algunos arañazos en los brazos y la cara. Miller me dijo que los roedores estuvieron a punto de acabar con él, pero que los gatos del callejón acabaron salvándolo.

"¿A dónde crees que van?" pregunté.

"No estoy seguro", dijo Miller encogiéndose de hombros. "Al menos están lejos de aquí".

"¿Volverán?"

"Probablemente. Más que probablemente para vengarse de ti".

Antes de que pudiera hacer más preguntas, sonó el teléfono de Miller.

Apenas pude oír la conversación, pero parecía que estaba hablando con Smith. Esperaba y rezaba para que tuviera alguna buena noticia que compartir. La cara de Miller rebosaba de emoción cuando colgó el teléfono.

"Buenas noticias, espero".

"Sí y no", respondió Miller. Explicó que hay una jaula que puede contener a Ben. Y una vez dentro, Ben no puede escapar a menos que alguien lo libere voluntariamente.

"¿De dónde sacamos esta jaula?" pregunté.

"La madre de Smith tiene una. Colecciona antigüedades".

"Entonces vamos por esa jaula", dije alegremente.

"No te preocupes. Mientras hablábamos, Smith venía de camino con ella", respondió Miller con una sonrisa.

"¿Cuál es el plan?" pregunté.

"Vamos a tenderle una trampa", respondió Miller. "Déjanos todo a mí y a Smith".

"Pensé que odiaba a los roedores".

"Te diré una cosa sobre Smith. No la hagas enojar", dijo Miller.

Estuve bien durante una hora más o menos. Mis padres confiaban en que llegaría a casa a una hora determinada. Me convenía mantener siempre esa confianza, pero esta noche era una historia diferente. Si tenía que volver más tarde de lo habitual, que así fuera. Si lo peor que me iba a pasar esa noche era que me castigaran, me apuntaba.

Miller y Smith hicieron lo que dijeron que harían, preparar una trampa para Ben. Una cosa que no me gustó fue que me usaran como cebo. El plan era que yo tratara de atraerlo. No estoy seguro de cómo se suponía que iba a funcionar. Después, Miller y Smith iban a meterlo dentro de la jaula.

Tampoco me gustaba que esto fuera a tener lugar en mi propio patio trasero. Mientras Miller y Smith se escondían fuera de la vista, llamé a Ben, pero no funcionó. Volví a llamarlo a gritos y mamá sacó la cabeza por la ventana y me dijo que me callara.

Fue entonces cuando oí el crujido de la hierba. No sólo en una zona, sino a mí alrededor. Intenté pedir ayuda, pero mi voz pareció desvanecerse. Entonces todo lo que pude decir fue un gemido. Ben apareció, pero el animal estaba flotando en el aire con sus ojos rojos y brillantes. Tampoco estaba solo. Traía con él un puñado de su pequeño ejército.

Miré nerviosamente a mí alrededor para ver si Miller o Smith saltaban y me salvaban. "¿Buscas a tus amigos?" Ben chilló. "Están un poco atados. Por ahora, sólo somos tú y yo".

"¿Por qué haces esto?" grité.

"Porque rompiste tu promesa", respondió Ben con enfado. "Dijiste que siempre serías mi amigo. Que cuidarías de mí y que nunca me dejarías solo. Mentiste".

"Nunca quisiste un amigo. Querías un esclavo", le espeté.

"Y sin embargo nunca fuiste bueno de ninguna forma". Ben soltó un siseo. "Ahora verás lo que es estar solo como lo estuve yo. ¡Atrápenlo!"

Todos los ratones y ratas vinieron hacia mí. Estaba tan asustado que no podía mover ni un músculo. Empezaron por mis pies, subiendo por la pernera del pantalón. Antes de darme cuenta, estaba cubierto como una manta por su ejército. Podía oír los chillidos de los roedores mientras trepaban por mi cara.

¿Qué estaba a punto de ocurrirme? Me estremecí al pensarlo. Sabía que una vez que me cubrieran los ojos se acabaría el juego. Cuando todo empezó a oscurecerse, los roedores comenzaron a retirarse. Pensé que los gatos callejeros querían comer y habían empezado a perseguirlos.

No era eso. Se bajaron de mí y se escabulleron en la noche como si nada hubiera pasado. Unos momentos después me quedaba claro. Miller y Smith habían capturado de alguna manera a Ben y lo habían metido en la jaula. Esto hizo que su ejército huyera mientras podía hacerlo.

"Lo han atrapado", dije jadeando.

"Eso hicimos", anunció Miller con orgullo. Tanto su cabello como el de Smith estaban encrespados, sus ropas rasgadas. Y las gafas de Miller estaban rotas de un lado. Se quedó sonriendo como si hubiera ganado una medalla de oro, sosteniendo la jaula en alto.

"¿Puede escapar?" pregunté. "¿Como lo hizo antes?"

"Esta vez no", añadió Smith. "Alguien tiene que estar dispuesto a sacarlo de la jaula".

"¿Y su ejército?"

"Se marcharon tan pronto Ben fue capturado".

"¡Déjenme salir!" Ben exigió. "¡Tengo poderes! Todos ustedes pagarán por esto".

Miller miró dentro de la jaula y se rió. "Lo siento, Ben. Ya has terminado de aterrorizar a tus dueños".

"¿Y ahora qué?" pregunté.

"Eres libre. Tus amigos y tu familia están a salvo".

Después de un par de meses, las cosas finalmente se calmaron. Mis padres me perdonaron y mis amigos también. Mi vida volvió a la normalidad, y todo se lo debía a dos personas. Volví a visitarlos y a agradecerles todo lo que habían hecho por mí.

Parecía que estaban trabajando en otro caso cuando llegué. Pero se alegraron de que me fuera bien. Pregunté por Ben, y Miller dijo que ya se habían ocupado de él y que no debía preocuparme. No quiso decirme a dónde había llevado a Ben, pero me aseguró de que no volvería a molestar a nadie.

Sinceramente, estaré feliz si no vuelvo a tener otra mascota. Pero, de vez en cuando, tengo la sensación de que hay otros roedores que me observan de cerca.

Me pregunto por qué será...

FIN

Querido lector,

Esperamos que hayas disfrutado leyendo *Big Ben, el cobayo malvado*. Tómese un momento para dejar una reseña, incluso si es breve. Tu opinión es importante para nosotros.

Atentamente,

A.E. Stanfill y el equipo de Next Chapter

Big Ben, El Cobayo Malvado
ISBN: 978-4-86752-392-6

Publicado por
Next Chapter
1-60-20 Minami-Otsuka
170-0005 Toshima-Ku, Tokyo
+818035793528

29 Julio 2021

CPSIA information can be obtained
at www.ICGtesting.com
Printed in the USA
BVHW031018100821
614083BV00009B/219